米莉、茱莉和莉莉成長故事

成為好朋友

金波／著　趙曉宇／繪

中華教育

責任編輯 夏柏維
裝幀設計 龐雅美
排　　版 龐雅美
印　　務 劉漢舉

成為好朋友

金波／著　趙曉宇／繪

出版｜中華教育
香港北角英皇道 499 號北角工業大廈 1 樓 B 室
電話：（852）2137 2338 傳真：（852）2713 8202
電子郵件：info@chunghwabook.com.hk
網址：http://www.chunghwabook.com.hk

發行｜香港聯合書刊物流有限公司
香港新界荃灣德士古道 220-248 號荃灣工業中心 16 樓
電話：（852）2150 2100　傳真：（852）2407 3062
電子郵件：info@suplogistics.com.hk

印刷｜美雅印刷製本有限公司
香港觀塘榮業街 6 號海濱工業大廈 4 字樓 A 室

版次｜2021 年 12 月第 1 版第 1 次印刷
©2021 中華教育

規格｜16 開（190mm x 140mm）
ISBN｜978-988-8760-09-1

「米莉、茱莉和莉莉的成長故事」系列　社會篇：《成為好朋友》
文字版權 © 金波
插圖版權 © 趙曉宇
中文簡體原版由中國少年兒童新聞出版總社有限公司於 2019 年出版

怎樣快速結交新朋友

莉莉搬了新家，米莉和茉莉來做客。相仿的年齡和相似的名字讓她們迅速熟悉起來，遊戲和音樂的力量讓她們快速建立起新的友誼。可以說，美食、遊戲和音樂，是結交新朋友的制勝法寶喲。

太陽已經升得很高了，莉莉依然睡得很香。「起牀啦！」媽媽在臥室門口叫她起牀。

莉莉翻了個身，繼續睡覺。「起牀，起牀！」媽媽搖晃着她的肩膀叫道。

「快起牀！今天我們家有客人來。」
媽媽大聲喊道。

莉莉立刻坐了起來，揉着眼睛問：
「客人？他們在哪裏？」

這時響起了敲門聲。媽媽出去開門。

莉莉聽到客人們走了進來。

「歡迎來我們家做客！」媽媽親切地說。

「別客氣，就當成在自己家一樣！」莉莉聽到爸爸慈愛地說。

　　莉莉聽到一位客人說：「您家真漂亮！」另一位客人說：「又溫暖又親切。」

莉莉家剛剛搬到了一個新地方，今天有鄰居要來家裏做客，莉莉很期待。

她急急忙忙地穿上了衣服。她開始責備自己不該這麼貪睡。

莉莉跑進客廳，看到兩個與她年齡差不多的女孩子。一個黑皮膚黑頭髮，一個白皮膚黃頭髮。

莉莉走上前擁抱了她們，問：
「你們叫甚麼名字呀？」

黑皮膚的女孩子說：「我叫米莉。」
白皮膚的女孩子說：「我叫茱莉。」

莉莉激動得又擁抱了一次她們，
笑着說：「我叫莉莉！」

米莉、茉莉和莉莉全都笑了起來，又一次擁抱在一起。她們開心地說：「我們的名字聽起來有點像！」

相似的名字讓她們覺得像家人一樣親密。

她們的名字帶給她們很多樂趣。她們湊在一起輕聲說彼此的名字，又隔開很遠高聲喊彼此的名字。

一時睜大眼睛說，一時又把眼睛緊緊閉上說。她們笑個不停，還時不時地給彼此一個擁抱。

　　這樣的遊戲讓她們越來越親密。她們小小的心靈充滿愛和溫暖。

莉莉忽然不說話了。沉默了一會，像自言自語般，她唸起了一首詩……

知道你的名字，只是一個開始。

說出你的名字，友誼從此開啟。

記住你的名字，真情永駐心裏。

米莉——茉莉——莉莉！

米莉——茉莉——莉莉！

米莉和茉莉也跟着一起唸了起來。三個好朋友一時歡呼，一時開懷大笑！

莉莉的爸爸聽到了歡呼聲，對她們說：「我要為你們的詩配上樂曲！」

莉莉低聲說：「我爸爸是一個作曲家！」

莉莉的爸爸接着在琴鍵上彈出一段優美的旋律。這像是在為米莉、茉莉和莉莉的友誼上蓋了一個印章。

從那天起，她們有了屬於自己的歌曲。

《成為好朋友》閱讀指導

1 回憶

回想故事裏的角色：米莉、茉莉、莉莉、莉莉的媽媽和爸爸。

2 提問

是誰來到莉莉的新家做客？

來做客的女孩兒和莉莉有甚麼相同和不同的地方？

三個女孩兒是怎樣很快成為好朋友的？

3 理解

理解故事中包含的主題：友誼（朋友間深厚的感情、親密的關係）。

莉莉搬了新家，女孩兒米莉和茉莉來她家做客。相仿的年齡和相似的名字讓她們迅速熟悉起來，遊戲和音樂的力量讓她們的關係更加親密，愛和温暖讓她們建立起新的友誼。

4 訓練

寫：分別寫出你和朋友們相同和不同的地方。

説：和小夥伴一起回憶成為好朋友的經過，説一説你們第一次見面時的情形。

做：和朋友們創作一首屬於你們自己的《友誼之歌》。

創：和小夥伴們一起排演這個故事吧。或者按本冊主題新編一個故事，可以畫下來、寫下來，也可以講出來喲！